Las Hadas
ARCO IRIS

Dedicado a Fiona Waters,
que amó a las hadas toda su vida

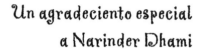

Un agradeciento especial
a Narinder Dhami

Título original: *Amber, the Orange Fairy*
Adaptación de la portada: Departamento de diseño
de Random House Mondadori

Primera edición: marzo de 2005

Publicado originariamente en el Reino Unido por Working Partners,
Ltd., 2003
© 2003, Daisy Meadows, Working Partners, Ltd.
© 2005, Grupo Editorial Random House Mondadori, S. L.
Travessera de Gràcia, 47-49. 08021 Barcelona
© 2005, Estrella Borrego del Castillo, por la traducción
© 2005, Georgie Ripper, por las ilustraciones

Printed in Spain – Impreso en España

ISBN: 84-8441-253-9
Depósito legal: B. 10.130-2005

Compuesto en Fotocomposición 2000, S. A.

Impreso en Liberdúplex
Constitució, 19. Barcelona

GT 12539

Ámbar, el hada naranja

Escrito por Daisy Meadows
Ilustraciones de Georgie Ripper
Traducido por Estrella Borrego

montena

El castillo de hielo
de Jack Escarcha

La casa de
Tom Buenamigo

Tiovivo

Sauce

Cabaña de
la señora
Felisa

Arroyo

Prado

Ciudad

Cabaña
de la
Sirena

Puerto

Cabaña del Delfín

Soplan vientos gélidos, que forman un glaciar.

Esta tormenta conjuro contra las hadas.

Hasta los siete confines del mundo mortal

el Arco Iris Mágico se replegará.

Maldigo cada rincón del Reino de las Hadas

con una ola de hielo de mi mano de escarcha.

Ahora y siempre, desde este día fatal,

su reino será frío y gris, por siempre jamás.

Rubí está a salvo, escondida en el puchero
del final del Arco Iris. Ahora Raquel y
Cristina deben encontrar a
Ámbar, el hada naranja.

Índice

Una concha poco común

—¡Qué día tan bonito! —exclamó Raquel Walker contemplando el cielo azul. Ella y su amiga, Cristina Tate, corrían por la arena dorada de la playa de la isla Aguamágica. Sus padres las seguían unos pasos más atrás.

—¡Hace un día mágico! —añadió Cristina. Las dos amigas se sonrieron con complicidad.

Raquel y Cristina estaban en la isla Aguamágica de vacaciones. Pronto habían descubierto que aquel lugar era realmente mágico.

Mientras corrían por la playa, vieron el destello del agua que había quedado atrapada entre las rocas formando pequeñas charcas.

Raquel oyó un chapoteo en una de ellas:

—¡Hay algo ahí, Cristina! ¡Vayamos a ver!

Las niñas avanzaron unos pasos hasta la charca y se agacharon para ver mejor.

El corazón de Cristina latía con fuerza mientras observaba el agua cristalina.

—¿Qué es eso? —preguntó.

De pronto, unas ondas se formaron en la superficie del agua. Un cangrejo pequeño corría de lado y a toda prisa por la orilla, y acabó escondiéndose bajo una roca.

—Pensé que sería otra hada Arco Iris —dijo Cristina decepcionada.

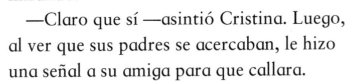

—Yo también —suspiró Raquel—. No importa. Seguiremos mirando.

—Claro que sí —asintió Cristina. Luego, al ver que sus padres se acercaban, le hizo una señal a su amiga para que callara.

Cristina y Raquel tenían un gran
secreto: estaban ayudando a las hadas
Arco Iris. Por culpa del malvado hechizo
de Jack Escarcha, las hadas habían
quedado atrapadas en la isla Aguamágica.
Y hasta que no las encontraran, en el
Reino de las Hadas no volverían a lucir los
colores.

Raquel contemplaba los destellos del mar
azul.

—¿Nos damos un baño? —sugirió a su
amiga.

Pero Cristina no la estaba escuchando.
Con una mano sobre los ojos a modo de
visera escudriñaba la lejanía.

—Mira allí, Raquel, cerca de aquellas
rocas —dijo.

Enseguida Raquel pudo ver también algo
que brillaba a la luz del sol.

—Espera aquí —dijo Cristina, y salió
corriendo hacia aquel lugar.

Cuando vieron lo que era, las dos amigas soltaron un suspiro de decepción.

—Es el envoltorio de una chocolatina —dijo Raquel con tristeza. Se agachó y cogió el papel de plata.

Cristina se quedó pensativa un rato.

—¿Recuerdas lo que dijo el hada reina? —preguntó a Raquel.

Raquel asintió:

—Dejad que la magia os encuentre —dijo—. Tienes razón, Cristina. Deberíamos disfrutar de nuestras vacaciones y esperar a que la magia aparezca. Después de todo, así fue como encontramos a Rubí dentro del puchero del final del Arco Iris, ¿no? —Raquel dejó su bolsa de playa sobre la arena—. ¡Vamos, te reto a una carrera hasta el agua!

Corrieron a zambullirse en el agua. El mar estaba frío y salado, pero el sol les calentaba la espalda. Desde el agua saludaron con la mano a sus padres. Luego, sentadas en la arena, jugaron con las olas hasta que se les puso la carne de gallina.

—¡Oh! —exclamó Cristina—. Acabo de pisar algo puntiagudo.

—Posiblemente sea una concha. Hay muchísimas por aquí —dijo Raquel cogiendo una, de color rosa, para enseñársela a Cristina.

—¡A ver cuántas encontramos! —dijo Cristina.

Las dos amigas caminaron por la playa buscando conchas. Encontraron una buena colección: caracolas largas y finas, conchitas azules y pequeñas, almejas redondas y blancas.

Enseguida tuvieron las manos llenas. Habían caminado a lo largo de la curva que describía la bahía. Raquel miró hacia atrás, y un fuerte golpe de viento le llevó todo el pelo a la cara.

—Mira qué lejos hemos ido —dijo. Cristina se detuvo. El viento le abombaba la camiseta y hacía que se le pusiera la carne de gallina.

—Hace frío —dijo—. ¿Volvemos con nuestros padres?

—Sí, ya debe de ser la hora de merendar —respondió Raquel.

Las dos amigas emprendieron el camino

de vuelta por la playa. No habían avanzado mucho cuando el viento dejó de soplar.

—¡Qué curioso! —dijo Cristina—. Aquí no sopla viento.

Se volvieron para mirar atrás y vieron pequeñas espirales de arena levantadas por un remolino de aire justo en el lugar en el que acababan de estar.

—¡Espera! —dijo Raquel, y las dos amigas se miraron entusiasmadas.

—¡Es magia! —dijo Cristina en voz baja—. Seguro que lo es.

La brisa volvió a arremolinarse alrededor
de sus piernas mientras caminaban de
regreso. Luego, la arena dorada comenzó a
ceder bajo sus pies, como si manos
invisibles la arrastraran. Una enorme
concha de vieira, mayor que las otras que
había en la playa, apareció. Era de color
perla con finas líneas naranjas y estaba
completamente cerrada.

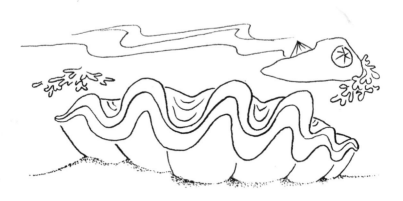

Rápidamente, las chicas se arrodillaron en la arena para cogerla, pero se les escurrió de las manos. Cristina lo iba a intentar de nuevo cuando Raquel le advirtió:

—¡Escucha!

Las dos amigas escucharon en silencio.

Allí estaba de nuevo.

Dentro de la vieira, una vocecita clara resonaba con suavidad...

La pluma mágica

Con mucho cuidado, Raquel cogió la
concha. Parecía caliente y ligera.
El murmullo cesó de repente.

—No debo
asustarme —se oyó
decir a la vocecita—.
Debo ser valiente, pronto
vendrán a ayudarme.

Cristina acercó la cara a la concha.

—¡Hola! —dijo en voz baja—. ¿Hay un hada ahí dentro?

—Sí —gritó una vocecita—. Soy Ámbar, el hada naranja. ¿Podéis sacarme de aquí?

—Claro que sí —aseguró Cristina—. Me llamo Cristina, y mi amiga, Raquel. —Cristina miró a Raquel con los ojos brillantes de emoción—. Hemos encontrado un hada Arco Iris.

—Rápido —dijo Raquel—. Tenemos que abrir la concha.

Entre las dos intentaron abrir la concha tirando cada

una de una valva. Pero
no pasó nada.

—Inténtalo de nuevo
—dijo Cristina. Las dos
amigas lo volvieron a
intentar, pero estaba
cerrada herméticamente.

—¿Qué ocurre?
—preguntó Ámbar con
preocupación.

—No conseguimos abrir la concha —dijo
Cristina—, pero pensaremos una solución.
—Luego se volvió a Raquel—: ¿Y si
buscamos un palo? Quizá podríamos usarlo
de palanca para abrirla.

Raquel echó un vistazo alrededor.

—Yo no veo ningún palo —dijo—.
Podríamos intentar golpearla contra una
roca.

—Pero Ámbar podría resultar herida
—advirtió Cristina.

De pronto, Raquel recordó algo:

—¡Las bolsas mágicas que nos dio la reina de las hadas!

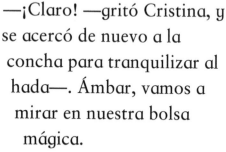

—¡Claro! —gritó Cristina, y se acercó de nuevo a la concha para tranquilizar al hada—. Ámbar, vamos a mirar en nuestra bolsa mágica.

—De acuerdo, pero daos prisa —les suplicó Ámbar.

Raquel abrió su bolsa de playa. Las bolsas mágicas estaban escondidas debajo de la toalla. Una de las bolsas resplandecía con una luz dorada. Raquel la sacó con cuidado.

—¡Mira! —exclamó Raquel—. Esta resplandece.

—Ábrela, rápido —le respondió Cristina.

Tan pronto como Raquel abrió la bolsa, una cascada de brillantes chispas se esparció por el aire.

—¿Qué hay dentro? —preguntó Cristina con los ojos muy abiertos.

Raquel deslizó su mano en la bolsa. Tocó algo suave y muy ligero. Al intentar sacarlo, se desprendió una nube de polvos mágicos. Era una resplandeciente pluma de oro.

Cristina y Raquel se quedaron mirando la pluma.

—Es muy bonita —dijo Cristina—. Pero ¿qué vamos a hacer con ella?

—No lo sé —respondió Raquel, que intentó inútilmente separar con ella las valvas de la concha, pero esta se doblaba en su mano.

—Quizá deberíamos preguntarle a Ámbar —dijo Cristina—. ¡Ámbar, en una de las bolsas mágicas hemos encontrado una pluma!

—¡Genial! —exclamó Ámbar muy contenta desde el interior de la concha.

—Pero no sabemos qué hacer con ella —añadió Raquel.

Ámbar se rió. Su risa sonaba como el tintineo de una campanilla.

—Hacedle cosquillas a la concha con ella —respondió.

—¿Eso funcionará? —preguntaron Raquel y Cristina a coro.

—Bueno, vamos a intentarlo —dijo Cristina.

Raquel comenzó a hacer cosquillas a la concha con la pluma. Al principio no pasaba nada. Luego oyeron una leve risita. Luego otra y otra. Poco a poco, las valvas de la concha empezaron a abrirse.

—¡Funciona! —exclamó Cristina—.
¡Sigue haciéndole cosquillas, Raquel!

La concha empezó a reírse a carcajadas y
se abrió de par en par.

Y allí, sentada en su blando y amelocotonado interior, estaba Ámbar, el hada naranja.

Un extraño en el puchero

—¡Por fin, libre! —gritó Ámbar llena de alegría.

El hada salió disparada de la concha y se lanzó al aire, con sus alas revoloteando en un halo de mil colores. Polvos mágicos anaranjados flotaban alrededor de Cristina y Raquel y caían en forma de burbujas naranjas. Una de ellas aterrizó en la mano de Raquel explotando con un suave ¡POP!

—¡Las burbujas huelen a naranja! —dijo Raquel sonriendo.

Ámbar dio una vuelta en el aire, sin parar de hacer cabriolas.

—¡Gracias! —exclamó. Luego dio una voltereta y descendió hasta Raquel y Cristina.

Llevaba un leotardo de color naranja chillón y botas altas. Su pelo era del color de las llamas y estaba sujeto en una cola de caballo, con un lazo de color albaricoque. En su mano sostenía una varita naranja salpicada de oro.

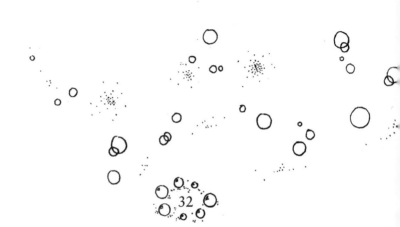

—¡Qué contenta estoy de que me hayáis encontrado! —gritó Ámbar feliz. Aterrizó sobre el hombro de Raquel, luego dio una voltereta lateral y cayó con suavidad sobre el de Cristina—. Pero ¿quiénes sois vosotras? ¿Y dónde están mis hermanas Arco Iris? ¿Qué ha ocurrido en el Reino de las Hadas? ¿Cómo voy a regresar allí?

Cristina y Raquel no lograban decir palabra.

En ese momento, Ámbar se detuvo.
Descendió flotando hasta posarse con
suavidad en la mano de Raquel.

—Lo siento —dijo con una sonrisa—.
Llevo mucho tiempo sin hablar con nadie.
He estado encerrada dentro de esa vieira
desde que el hechizo de Jack Escarcha nos
desterró del Reino de las Hadas. ¿Cómo
habéis sabido dónde encontrarme?

—Cristina y yo le prometimos a tu
hermana Rubí que buscaríamos a todas las
hadas Arco Iris —le explicó Raquel.

—¿Rubí? —El rostro de Ámbar se
iluminó. Estaba tan contenta que dio una
voltereta sobre la mano de Raquel—.
¿Habéis encontrado a Rubí?

—Sí, ella está en un lugar bastante seguro
—dijo Raquel—, en el puchero del final del
Arco Iris.

Ámbar volvió a dar una pirueta de alegría.

—¡Por favor, llevadme con ella! —les suplicó.

—Espera, voy a preguntar a mis padres si puedo ir a dar un paseo —dijo Cristina y corrió en dirección a sus padres.

—¿Tú sabes qué está ocurriendo en el Reino de las Hadas? —le preguntó Ámbar a Raquel.

Raquel le contó que habían volado con Rubí hasta el Reino de las Hadas. Rubí las había reducido al tamaño de un hada y les había dado alas.

—El rey Oberón y la reina Titania os echan mucho de menos —afirmó Raquel—. Sin colores, el reino es un lugar muy triste.

Las alas de Ámbar se quedaron mustias.

Cristina corría de vuelta hacia donde estaba su amiga.

—Mi madre me ha dejado ir a dar un paseo —dijo sin aliento.

—¿A qué esperamos entonces? ¡Vámonos! —exclamó Ámbar. El hada se elevó y dio una voltereta en el aire. Raquel sacó sus pantalones cortos, su camiseta y sus zapatillas de la bolsa de playa y se los puso.

—Raquel, ¿puedes llevar mi concha? —le preguntó Ámbar.

Raquel la miró sorprendida.

—Si quieres, sí.

Ámbar asintió.

—Es muy cómoda —explicó—. Creo que sería una estupenda cama para mí y mis hermanas.

Raquel introdujo la concha en su bolsa y se marcharon, con Ámbar sentada con las piernas cruzadas sobre el hombro de Raquel.

—Mis alas están entumecidas de estar tanto tiempo encerrada en la concha —les dijo a las niñas—. Creo que hoy no podré volar muy lejos.

Las chicas siguieron el camino que
conducía hasta el claro del bosque donde
habían escondido el puchero del final del
Arco Iris.

—¡Aquí es! —dijo Raquel—. El puchero
está allí. —Raquel se detuvo. El puchero
aún estaba donde lo habían dejado, bajo el
sauce llorón, pero de su interior salía una
enorme rana verde.

—¡Oh, no! —gritó Raquel.

Las niñas miraron a la rana horrorizadas.
¿Dónde estaba Rubí?

Hogar, dulce hogar

Raquel se precipitó sobre la rana y la agarró con fuerza, apretando su buche verde e inflado.

La rana giró la cabeza y se quedó mirándola con sus ojos saltones.

—¿Qué crees que estás haciendo, croac? —preguntó la rana malhumorada.

Raquel se quedó tan perpleja que la dejó caer. La rana dio un par de brincos y se alejó de la niña con una mueca de enfado.

—¡Una rana que habla! —exclamó
Cristina con los ojos abiertos como
platos—. Y parece que lleva gafas…

—¡Bertram! —Ámbar echó a volar desde el
hombro de Cristina—. No te había
reconocido.

Bertram hizo una reverencia con la
cabeza mientras Ámbar corría para
abrazarse a él.

—¡Cuánto me alegro de que esté usted
bien, señorita Ámbar! —dijo con los ojos
iluminados—. Debo decir que es un placer
volver a verla.

Ámbar se dirigió a Raquel y Cristina:

—Bertram no es una rana común —explicó—. Es uno de los lacayos del rey Oberón.

—¡Ah, sí! —exclamó Cristina—. Ahora lo recuerdo. Vimos a las ranas lacayo cuando estuvimos en el Reino de las Hadas con Rubí.

—Pero llevaban unos uniformes morados —añadió Raquel.

—Disculpe, señorita, pero una rana con uniforme morado no pasaría desapercibida en la isla Aguamágica —aclaró Bertram—. Es mejor parecer una rana normal y corriente.

—Pero ¿qué estás haciendo aquí, Bertram? —preguntó Ámbar—. ¿Y dónde está Rubí?

—No se preocupe, señorita Ámbar —dijo Bertram—. La señorita Rubí está a salvo en el puchero. —De pronto, la rana se puso muy seria—. El rey Oberón me envió a la isla Aguamágica. Las hadas de las nubes vieron a los duendes de Jack Escarcha escapando sigilosamente del Reino de las Hadas. Creemos que los ha enviado aquí para impedir que las hadas Arco Iris sean encontradas.

Cristina sintió que un escalofrío le recorría la espalda.

—¿Los duendes de Jack Escarcha? —preguntó.

—Son sus ayudantes —explicó Ámbar. Las alas le temblaban de miedo—. A ellos les gustaría que el Reino de las Hadas siempre fuera gris y frío.

—No tema, señorita Ámbar —la consoló
Bertram—. Yo cuidaré de usted.

De pronto, comenzó a brotar del puchero
una lluvia roja de polvos mágicos. Rubí
revoloteó alrededor.

—¡He oído voces! —exclamó muy
contenta—. ¡Ámbar! Sabía que eras tú.

—¡Rubí! —gritó Ámbar, y dando una
voltereta en el aire se acercó hasta su hermana.

Raquel y Cristina observaban a la dos
hadas abrazándose felices. El aire se llenó
de diminutas flores rojas y burbujas
anaranjadas.

—Gracias, Cristina y Raquel —dijo Rubí.
Las dos hadas descendieron cogidas de la
mano—. Estoy tan contenta de volver a ver
a Ámbar.

—¿Y qué me
cuentas de ti?
—preguntó Raquel—.
¿Ha ido todo bien
dentro del puchero?
—Rubí asintió.

—Ahora que
Bertram está aquí, todo
irá bien —respondió—.
Hemos convertido el
puchero en una casa de hadas.

—Yo traigo una concha enorme —dijo
Ámbar—. Será una cama estupenda.
Enséñasela a Rubí, Raquel.

Raquel volcó el contenido de su bolsa en
el suelo y sacó la vieira color perla y
melocotón.

47

—¡Es preciosa! —dijo Rubí. Luego, con una amplia sonrisa, se dirigió a Raquel y a Cristina—: ¿Os gustaría visitar nuestra casita?

—Pero el puchero es demasiado pequeño. Cristina y yo no cabemos —exclamó Raquel. Enseguida un cosquilleo de alegría la invadió—. ¿Vais a volver a reducirnos de tamaño?

Rubí asintió. Ella y Ámbar volaron alrededor de las niñas esparciendo sus polvos mágicos. Raquel y Cristina comenzaron a encoger, como la vez anterior. Al instante eran tan pequeñas como Rubí y Ámbar.

—Me encanta ser un hada —exclamó
Cristina muy contenta, volviéndose para
contemplar sus alas plateadas.

—A mí también —añadió Raquel, que ya
se estaba acostumbrando a que las flores le
parecieran tan grandes como árboles.

Bertram, de un salto, se puso delante del
puchero.

—Yo me quedaré aquí vigilando,
croac —exclamó.

—Venid —dijo
Rubí cogiendo la
mano de Raquel, y
Ámbar la de Cristina.
Las hadas se metieron en
el puchero.

Raquel y Cristina se
cruzaron volando con una mariposa
tan grande como ellas, y tuvieron que
esquivarla. Al rozarse con sus alas, les
pareció que estas eran de terciopelo.

—¡Ya vuelo mucho mejor! —dijo
Cristina riéndose mientras aterrizaba con
extraordinaria precisión sobre el borde del
puchero. Luego miró dentro con sorpresa.

El interior del puchero estaba iluminado.
Había varias sillitas tejidas con briznas de
hierba. Cada silla tenía un cojín hecho con
una confortable baya silvestre. Alfombras de
hojas de un verde brillante cubrían el suelo.

—¿Ponemos dentro la concha?
—preguntó Raquel.

Todas pensaron que sería muy buena idea. Fuera, Bertram ya estaba empujando la concha hasta la entrada del puchero.

—¡Aquí la tenéis, croac! —exclamó la rana lacayo.

La concha parecía muy pesada ahora que Raquel y Cristina eran tan pequeñas como las hadas. Pero Bertram las ayudó a colocarla en el puchero.

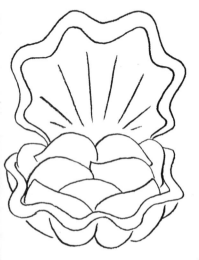

Pronto, la concha cama estuvo preparada. Rubí cubrió su interior con pétalos de rosa perfumados.

—El puchero ha quedado muy acogedor —dijo Raquel.

—Me encantaría vivir aquí —exclamó Cristina.

Rubí se volvió a su hermana y le preguntó:

—¿Te gusta, Ámbar?

—Es precioso —respondió Ámbar—. Me recuerda a nuestra casa en el Reino de las Hadas. Cuánto me gustaría estar allí, lo echo tanto de menos...

Rubí sonrió.

—Bueno, yo te lo puedo enseñar —dijo—. Aunque no volvamos aún. Sígueme.

Bertram estaba montando guardia delante del puchero cuando las hadas despegaron de nuevo.

—¿Adónde se dirige, señorita Rubí, croac? —preguntó.

—Al lago mágico —respondió Rubí—. Ven con nosotras.

El hada esparció sus polvos mágicos sobre Raquel y Cristina. Rápidamente, las niñas volvieron a su estatura normal.

Al llegar al lago, Rubí
sobrevoló el agua
espolvoreando su magia. Al
igual que la anterior vez,
sobre el espejo del lago
comenzó a dibujarse una
escena.

—¡El Reino de las Hadas!
—gritó Ámbar, mirando al
interior del lago.

Raquel y Cristina también miraron.

El Reino de las Hadas aún estaba triste y
helado. El
palacio, las
casas con
forma de
seta, las
flores y los
árboles
estaban mustios y
grises.

De pronto, una brisa helada hizo temblar la superficie del agua, y la escena se fue desvaneciendo.

—¿Qué ha ocurrido? —dijo Cristina en voz baja.

Todos observaron el lago. Una nueva imagen estaba tomando forma en el agua. Se trataba de un rostro alargado y cruel, con el pelo cubierto de blanca escarcha y carámbanos de hielo en la barba.

—¡Jack Escarcha! —gritó Rubí con horror.

En ese momento, el aire se heló como en una nevera y la orilla del lago comenzó a congelarse.

—¿Qué ocurre? —preguntó Raquel temblando.

Bertram dio un brinco.

—¡Malas noticias! —exclamó—. ¡Eso significa que los duendes de Jack Escarcha están cerca, croac!

¡Alerta, duendes!

Cuando vieron el lago completamente helado, Raquel y Cristina sintieron que un escalofrío les recorría el cuerpo. El rostro cruel de Jack Escarcha desapareció.

—¡Seguidme! —ordenó Bertram, y dio un salto por encima de un gran arbusto—. Nos esconderemos aquí.

—Quizá deberíamos regresar al puchero —sugirió Rubí.

—Si los duendes están cerca, es mejor que no nos movamos —advirtió Bertram. Las dos chicas se agacharon detrás del arbusto cercano a Bertram. Rubí y Ámbar se sentaron muy quietecitas sobre el hombro de Cristina. Hacía cada vez más frío. Raquel y Cristina no podían dejar de tiritar.

—¿Cómo son los duendes? —preguntó Raquel.

—Son más grandes que nosotras —dijo Ámbar, que estaba temblando de miedo.

—Y tienen una cara muy fea, una narizota en forma de gancho y unos pies enormes —añadió Rubí sin soltar la mano de su hermana.

—¡Silencio, señorita Rubí, croac! —ordenó Bertram—. He oído algo.

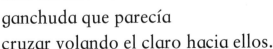

Raquel y Cristina escucharon. De pronto, Raquel vio la sombra de una enorme nariz ganchuda que parecía cruzar volando el claro hacia ellos. Raquel apretó el brazo de Cristina. Las dos se asomaron por entre las ramas del arbusto al oír un crujido muy cerca de ellas. Casi les dio un vuelco el corazón.

—¡Oi! —exclamó una voz ronca cerca de allí—. ¿Qué crees que estás haciendo?

Raquel y Cristina contuvieron la respiración.

—Nada —respondió otra voz también ronca y malhumorada.

—¡Duendes! —susurró Ámbar al oído de Cristina.

—Me estás pisando —dijo el primer duende enfadado.

—No, yo no he sido —gritó el otro duende.

—Claro que has sido tú. ¡Ten más cuidado con esos pies de elefante tuyos!

—¡Bueno, al menos mi nariz no parece una calabaza!

El arbusto se movía aún más. Parecía que los duendes se estaban dando empujones.

—¡Quítate de mi camino! ¡Arggg! —le gritaba uno a otro.

—Esto te enseñará a no volver a empujarme —chillaba el segundo.

Raquel y Cristina se miraron alarmadas. ¿Qué pasaría si los duendes los encontraban?

—¡Vamos! —resopló uno de los duendes—. Jack Escarcha se pondrá furioso si no encontramos a esas hadas. Tenemos que impedir que regresen al Reino de las Hadas.

—Bien, aquí no están, ¿no te parece? —gruñó uno—. Más vale que miremos en otro sitio.

Las voces se apagaron. Las hojas del arbusto dejaron de moverse. Y el aire parecía volverse cada vez más cálido. Se oyó el crujir del hielo del lago, que comenzaba a derretirse.

—Ya se han ido, croac —dijo Bertram—. Rápido, debemos regresar al puchero.

Atravesaron el claro del bosque muy deprisa. El puchero estaba bajo el sauce, como lo habían dejado.

—Nos quedaremos aquí por si los duendes vuelven a aparecer, cro...

—empezó a decir Bertram, pero en ese

momento un grito de Cristina los detuvo en seco.

—¡Mirad! —exclamó—. El puchero está helado.

Cristina tenía razón. La boca del puchero estaba cubierta de una gruesa capa de hielo. Nadie, ni siquiera un hada, podría entrar.

Bertram al
rescate

—¡Oh, no! —se lamentó Rubí—. Los
duendes deben de haber pasado por aquí.
Menos mal que no han descubierto el
puchero.

Rubí voló hasta el puchero, seguida de
cerca por Ámbar. Golpearon el hielo con
sus diminutos puños, pero era demasiado
duro para ellas.

—¿Lo intentamos, Raquel? —preguntó Cristina—. Quizá podamos romperlo con un palo.

Pero Bertram tenía otra idea.

—Apartaos todos, por favor —dijo.

Las chicas se echaron a un lado. Rubí se sentó sobre el hombro de Cristina y Ámbar voló hasta el de Raquel para mirar.

De pronto, Bertram se impulsó hacia arriba y dio un salto enorme para caer justo sobre la capa de hielo. La golpeó con sus dos pies palmeados, con todas sus fuerzas, pero el hielo no se rompió.

—Dejadme probarlo de nuevo.

Entonces volvió a saltar y esta vez sí quebró el hielo, que se resquebrajó con un

estruendo de
cristales rotos.
Saltó una vez más,
y el hielo quedó
hecho añicos. Algunos
trozos cayeron dentro
del puchero, y Raquel y
Cristina corrieron a
retirarlos antes de que se
derritieran.

—Ya está, croac —dijo
Bertram.

—Gracias, Bertram —exclamó Rubí. Ella
y Ámbar volaron hacia la rana y la
abrazaron.

Bertram parecía muy satisfecho.

—Solo he hecho mi trabajo, señorita
Rubí —dijo—. A partir de ahora, usted y la
señorita Ámbar deberían quedarse siempre
cerca del puchero. Es peligroso alejarse.

—Primero tenemos
que despedirnos de
nuestras amigas —dijo
Ámbar. El hada voló por
el aire, hizo una pirueta
y, sonriendo, les dijo a
Raquel y Cristina—: Gracias,
mil veces gracias.

—Nos volveremos a ver pronto —dijo
Raquel.

—Cuando encontremos a la siguiente
hada Arco Iris —añadió Cristina.

—¡Suerte! —dijo Rubí—. Os esperaremos
aquí. Vamos, Ámbar.

Las dos hadas se
cogieron de la mano y
volaron hacia el puchero,
pero, antes de desaparecer
en su interior, se volvieron
para despedirse de nuevo de
sus amigas.

—No os preocupéis —dijo Bertram—. Yo cuidaré de ellas.

—Claro que sí —dijo Raquel recogiendo su bolsa de playa. Cristina y ella se alejaron del bosque—. Me alegro de que Rubí ya no esté sola. Ahora tiene a Ámbar y a Bertram.

—No me gustaron los duendes —dijo Cristina estremecida por un escalofrío—. Espero no volver a encontrarlos.

Las dos amigas regresaron a la playa. Sus padres ya estaban recogiendo las toallas. El padre de Raquel las vio llegar a lo lejos y fue a su encuentro.

—Habéis tardado mucho —les dijo con una sonrisa—. Ya íbamos a buscaros.

—¿Nos vamos a casa? —preguntó Raquel.

El señor Walker asintió.

—Sí. Es muy extraño, pero de pronto ha empezado a hacer bastante frío.

Al decir esto, una brisa helada rodeó a Cristina y a Raquel. Las niñas, temblando, miraron al cielo. El sol estaba oculto tras un gigantesco nubarrón gris. Los árboles se doblaban con el viento, y las hojas crujían como si estuvieran contándose secretos unas a otras.

—Los duendes de Jack Escarcha están aún por aquí —dijo en voz baja Cristina.

—Tienes razón —admitió Raquel—. Esperemos que Bertram pueda proteger a Rubí y a Ámbar mientras buscamos a las demás hadas Arco Iris.

Las Hadas
ARCO IRIS

Rubí y Ámbar
han sido
rescatadas.
Ahora deberán
encontrar a

Azafrán, el hada amarilla

Una abeja feroz

—¡Aquí, Cristina! —gritó Raquel
Walker. Cristina corría a través de uno de
los prados esmeraldas que cubrían aquella
parte de la isla Aguamágica. Entre la hierba
asomaban margaritas y amapolas.

—¡No te alejes mucho! —exclamó la
madre de Cristina. Ella y el padre de
Cristina iban a dar un paseo por la parte
alta del prado.

Cristina alcanzó a su amiga.

—¿Qué has encontrado, Raquel? ¿Es un hada Arco Iris? —preguntó emocionada.

—No lo sé. —Raquel estaba sentada a la orilla de un caudaloso arroyo—. Me ha parecido oír algo.

La cara de Cristina se iluminó.

—¿Crees que hay un hada en el arroyo?

Raquel asintió. Se puso de rodillas sobre la hierba fresca y acercó la oreja al agua.

Cristina también se agachó y escuchó con atención.

El sol arrancaba destellos al agua como si salpicara grandes guijarros brillantes. Aquí y allá se formaban pequeños arco iris luminosos: rojo, naranja, amarillo, verde, azul, añil y morado.

Y luego oyeron una vocecita que parecía hablar desde el fondo del agua:

—Sígueme… —exclamaba entre burbujas—. Sígueme…

—¿Has oído eso? —preguntó Raquel.

—Sí —respondió Cristina con los ojos muy abiertos—. Debe de ser un arroyo mágico.

Raquel sintió que su corazón latía con fuerza.

—Quizá el arroyo nos conduzca hasta el hada amarilla —dijo.

Raquel y Cristina tenían un secreto. Habían prometido al rey y la reina del Reino de las Hadas que encontrarían a las hadas Arco Iris. El hechizo de Jack Escarcha las había escondido en la isla Aguamágica. El Reino de las Hadas permanecería frío y gris hasta que las hadas Arco Iris regresaran.

Un pez plateado se movía como una flecha por entre el lecho de algas del arroyo.

—Seguidme, seguidme… —susurraba con una voz argentina.

Raquel y Cristina se sonrieron. Titania, la reina de las hadas, tenía razón cuando dijo que la magia las encontraría a ellas.

Los padres de Cristina se habían detenido a contemplar el paisaje.

—¿Por dónde seguimos? —preguntó el señor Tate—. Parece que vosotras dos sabéis adónde vais.

—¡Por ahí! —dijo Cristina señalando la orilla del arroyo.

Un martín pescador voló desde la rama en la que descansaba. Mariposas que relucían al sol como piedras preciosas revoloteaban entre los juncos.

—Todo es tan bonito en la isla Aguamágica —dijo la madre de Cristina—. Estoy muy contenta de que aún nos queden cinco días de vacaciones.

«Sí —pensó Raquel—, y cinco hadas Arco Iris por encontrar: Azafrán, Hiedra, Celeste, Tinta y Violeta.»

Lee la continuación de

Las Hadas ARCO IRIS

Azafrán, el hada amarilla
y descubrirás hasta dónde conduce
a Raquel y Cristina
el arroyo mágico.

Las Hadas ARCO IRIS

por Daisy Meadows

Rubí, el hada roja
Está sola en la isla Aguamágica… hasta que Raquel y Cristina prometen rescatar a sus hermanas Arco Iris.

Ámbar, el hada naranja
Está atrapada en un lugar insólito. ¿Podrá una pluma de ave ayudar a rescatarla?

Azafrán, el hada amarilla
Se encuentra en una trampa pegajosa. ¿Cómo podrán liberarla Raquel y Cristina?

Hiedra, el hada verde
Está hundida en un hoyo lleno de hojas. Hay que resolver un misterio para salvarla.

Celeste, el hada azul
Tiene problemas con burbujas. ¿Les podrá echar una pinza el cangrejo Arco Iris?

Tinta, el hada añil
Como siempre, está haciendo travesuras. Raquel y Cristina deberán devolverla al puchero… antes de que sea demasiado tarde.

Violeta, el hada morada
No deja de dar vueltas. Hasta que el caballito del tiovivo corre a rescatarla.

1